ALBRECHT DÜRER

Aquarelle und Zeichnungen

mit einem Essay von John Berger

TASCHEN

KÖLN LONDON LOS ANGELES MADRID PARIS TOKYO

UMSCHLAGVORDERSEITE:
Junger Feldhase, 1502
Wasser- und Deckfarbenmalerei auf Papier, 25,1 x 22,6 cm
Wien, Graphische Sammlung Albertina

UMSCHLAGRÜCKSEITE:
Selbstbildnis im Pelzrock, 1500
Gemälde auf Lindenholz, 67 x 49 cm
München, Alte Pinakothek
(Inschrift: »So malte ich / Albrecht Dürer aus Nürnberg,
mich selbst mit unvergänglichen Farben im Alter von 28 Jahren«)

ABBILDUNG SEITE 1:
Selbstbildnis mit Binde, undatiert
Federzeichnung auf Papier, 20,4 x 20,8 cm
Erlangen, Graphische Sammlung der Universitätsbibliothek Erlangen-Nürnberg

ABBILDUNG SEITE 2:
Selbstbildnis als Akt, um 1500
Feder- und Pinselzeichnung, weiß gehöht auf grün grundiertem Papier, 29,1 x 15,3 cm
Weimar, Staatliche Kunstsammlungen zu Weimar

ABBILDUNG SEITE 5:
Junges Mädchen, lesend (Detail), 1501
Feder und dunkelbraune Tusche, 16,1 x 18,2 cm
Rotterdam, Museum Boymans-van Beuningen

© 2002 TASCHEN GmbH
Hohenzollernring 53, D–50672 Köln
www.taschen.com

Originalausgabe: © 1993 Benedikt Taschen Verlag GmbH
Konzeption und Gestaltung: Angelika Taschen, Köln
© Essay: John Berger, »Dürer, ein Bild des Künstlers«. Aus: John Berger,
»Das Sichtbare und das Verborgene«.
© 1990 Carl Hanser Verlag München Wien
Bildkommentare und Biography: Klaus Ahrens, Hamburg
Bildnachweis: Martin Bühler, Basel (S. 26); Elke Walford, Hamburg (S. 31)
© Photo R.M.N., Paris (S. 27, 38, 67)

Printed in Germany
ISBN 3–8228–8410–3

Die Kunst Albrecht Dürers markiert den Höhepunkt
der Malerei am Ausgang des Mittelalters. Die Meister-
schaft von akkurater Zeichnung und sinnenfroher Farbgebung fasziniert bis heute.

Dürer:
ein Bild des Künstlers

Mehr als fünfhundert Jahre trennen uns von Albrecht Dürers Geburt. (Er wurde am 21. Mai 1471 in Nürnberg geboren.) Diese fünfhundert Jahre können einem lang oder kurz vorkommen, je nach dem Blickpunkt oder der Stimmung des Betrachters. Wenn sie einem kurz vorkommen, scheint es möglich, Dürer zu verstehen, und ein imaginäres Gespräch mit ihm läßt sich vorstellen. Wenn sie einem lang vorkommen, scheint die Welt, in der er lebte, und sein Bewußtsein von ihr so weit entfernt, daß kein Dialog möglich ist.

Dürer war der erste Maler, der besessen war von seinem eigenen Bild. Keiner vor ihm hat so viele Selbstporträts gemalt wie er. Unter seinen frühesten Werken ist eine Silberstiftzeichnung von ihm selbst, als er dreizehn war. Die Zeichnung demonstriert, daß er ein Wunderkind war – und daß er sein eigenes Aussehen aufregend und unvergeßlich fand. Eines der Dinge, die es aufregend machten, war vermutlich, daß er sich seines Genies bewußt war. Alle seine Selbstporträts verraten seinen Stolz. Es ist, als ob eines der Elemente des Meisterwerks, das er jedesmal schaffen will, der Blick des Genies sei, den er in seinen eigenen Augen entdeckt. In dieser Hinsicht sind seine Selbstporträts der genaue Gegensatz von Rembrandts Selbstbildnissen.

Warum malt ein Mensch sich selbst? Unter vielen Motiven ist eines identisch mit dem, das jemanden veranlaßt, sich malen zu lassen: Es geht darum, den Beweis zu erbringen, der ihn vermutlich überleben wird, nämlich daß er einmal existiert hat. Sein Blick wird bleiben und auch sein An-Blick, und in diesem doppelten Begriff deutet sich das Geheimnis oder das Rätsel an, das in diesem Gedanken steckt. Sein Blick befragt uns, die wir vor dem Porträt stehen und versuchen, uns das Leben des Künstlers vorzustellen.

Wenn ich mir so die beiden Selbstporträts, das in Madrid und das andere in München, vorstelle, bin ich mir bewußt, daß ich – unter tausend anderen – der imaginäre Betrachter bin, dessen Interesse Dürer vor 485 Jahren vorwegnahm. Zugleich aber überlege ich mir, wie

Selbstbildnis im Alter von dreizehn Jahren, 1484. Silberstiftzeichnung auf grundiertem Papier, 27,5×19,6 cm. Wien, Graphische Sammlung Albertina (rechts oben vom Künstler beschriftet: Dz Hhab jch aws eim Spigell nach / mir selbs kunterfet jm 1484 Jar / do ich noch ein kint was / Albrecht Dürer).

»Dies habe ich von einem Spiegel nach mir selbst konterfeit im Jahr 1484, als ich noch ein Kind war«, hat Dürer voller Stolz auf die gelungene Strichführung oben rechts auf der Silberstiftzeichnung notiert. Tatsächlich ist das Blatt des 13jährigen, gerade bei seinem Vater in die Lehre eingetreten, eines der ersten Selbstporträts Nordeuropas. Eine Gattung, die Dürer wie keiner seiner Zeitgenossen gepflegt hat.

7

viele von den Wörtern, die ich hier schreibe, ihm in ihrer gegenwärtigen Bedeutung verständlich gewesen wären. Wir kommen seinem Gesicht und Ausdruck so nahe, daß es schwerfällt zu glauben, daß ein großer Teil seiner Erfahrung für uns unerreichbar ist. Dürer historisch zu betrachten ist nicht das gleiche, wie sich in seine eigene Erfahrung zu versetzen. Es scheint mir wichtig, darauf hinzuweisen, weil so häufig selbstgefällig eine Kontinuität von seiner Zeit zu unserer angenommen wird. Selbstgefällig, weil wir, je mehr diese sogenannte Kontinuität betont wird, seltsamerweise um so mehr dazu neigen, uns zu seinem Genie zu beglückwünschen.

Zwei Jahre trennen die beiden Gemälde, die den gleichen Mann so offensichtlich in ganz verschiedener Geistesverfassung darstellen. Das zweite Porträt, das jetzt im Prado in Madrid hängt, zeigt den Maler im Alter von siebenundzwanzig Jahren, gekleidet wie ein venezianischer Edelmann. Er blickt selbstsicher, stolz, fast wie ein Adliger drein. Vielleicht ist die vornehme Kleidung, auf die die behandschuhten Hände hindeuten, ein wenig zu sehr betont. Der Ausdruck seiner Augen paßt nicht ganz zu dem lässig-eleganten Käppchen auf seinem Kopf. Vielleicht ist das Porträt ein halbes Eingeständnis, daß Dürer sich ein Stück weit verkleidet hat, daß er eine neue Rolle anstrebt. Er malte dieses Bild vier Jahre nach seiner ersten Reise nach Italien. Während dieser Reise traf er nicht nur mit Giovanni Bellini zusammen und entdeckte die venezianische Malerei; es wurde ihm auch zum ersten Mal klar, wie geistig unabhängig und gesellschaftlich angesehen Maler sein konnten. Sein venezianisches Kostüm und die Alpenlandschaft, die man durch das Fenster sieht, weisen darauf hin, daß sich das Bild auf seine Venedig-Erfahrung als junger Mann bezieht. Grob vereinfacht sieht das Bild aus, als wolle es sagen: »In Venedig habe ich Maß für meinen eigenen Wert genommen, und ich erwarte nun, daß dieser Wert hier in Deutschland anerkannt wird.« Seit seiner Rückkehr hatte er wichtige Aufträge von Friedrich dem Weisen, dem Kurfürsten von Sachsen, erhalten. Später arbeitete er für Kaiser Maximilian.

Das Porträt in München wurde um 1500 gemalt. Das Bild zeigt den Künstler in einem Mantel von gedeckter Farbe vor einem dunklen Hintergrund. Seine Pose, die Hand, die den Mantel zusammenhält, seine Haartracht, der Gesichtsausdruck – oder vielmehr die heilige Leere dieses Gesichts –, alles weist, nach den ikonographischen Konventionen der Zeit, auf ein Christusporträt hin. Und wenn es auch nicht nachweisbar ist, so erscheint es doch wahrscheinlich, daß Dürer einen solchen Vergleich beabsichtigte oder zumindest wünschte, er möge dem Betrachter in den Sinn kommen.

Seine Absicht war gewiß alles andere als blasphemisch. Er war tief religiös, und obwohl er in gewisser Weise die Neigung der Renaissance zur Wissenschaft und zur Vernunft teilte, war seine Religiosität von traditioneller Art. Später in seinem Leben bewunderte er Luther aus moralischen und intellektuellen Gründen, war aber selbst außerstande, mit der katholischen Kirche zu brechen. Das Bild kann also nicht meinen: »Ich sehe mich als Christus«, sondern: »Ich strebe durch das Leiden, das ich erfahren habe, eine Nachfolge Christi an.«

Wie bei dem anderen Porträt gibt es auch hier einen theatralischen Zug. In keinem seiner Selbstporträts konnte Dürer sich offensichtlich als den annehmen, der er war. Immer mischte sich der Ehrgeiz ein, ein anderer oder mehr zu sein als er selbst. Das einzige Bild seiner selbst, das er durchgängig akzeptieren konnte, war das Monogramm, mit dem er – im Unterschied zu allen Künstlern vor ihm – fast alles, was er hervorbrachte, signierte. Wenn er sich im Spiegel betrachtete, war er immer fasziniert von den möglichen Ichs, die er darin sah; manchmal war diese Vision wie in dem Madrider Porträt extravagant, manchmal, wie in dem Münchner, ahnungsvoll.

Was erklärt den frappierenden Unterschied zwischen den beiden Bildern? Im Jahr 1500 glaubten Tausende von Menschen in Süddeutschland, daß das Ende der Welt gekommen sei. Es gab Hungersnöte, die Pest und das neue Übel der Syphilis. Die sozialen Konflikte, die bald zum Bauernkrieg führen sollten, verschärften sich. Scharen von Arbeitern und Bauern verließen ihre Heimat und wurden zu Nomaden auf der Suche nach Brot, Rache und Erlösung an dem Tage, an dem Gottes Zorn Feuer auf die Erde regnen ließe, die Sonne verlöschen würde und die Himmel sich zusammenrollen und verschwinden würden wie ein Manuskript.

Dürer, den der Gedanke des nahen Todes während seines ganzen Lebens beschäftigte, wurde vom allgemeinen Schrecken erfaßt. In dieser Zeit schuf er seine erste wichtige Holzschnittfolge für ein relativ großes, volkstümliches Publikum, und das Thema dieser Folge war die Apokalypse.

Der Stil dieser Holzschnitte – von der Dringlichkeit ihrer Botschaft ganz zu schweigen – zeigt einmal mehr, wie weit wir heute von Dürer entfernt sind. Nach heutigen Maßstäben wirkt dieser Stil uneinheitlich in seiner Mischung aus Gotik, Renaissance und Barock. Wir sehen ihn historisch – als

Dürers Mutter Barbara, geb. Holper, undatiert. Kohlezeichnung auf Papier, 42,1×30,3 cm. Berlin, Staatliche Museen zu Berlin – Preußischer Kulturbesitz, Kupferstichkabinett.

Kurz vor ihrem Tod zeichnet Dürer das Porträt seiner Mutter Barbara, eine der eindringlichsten Bildnisstudien der Kunstgeschichte. Die Züge der 62jährigen Frau sind geprägt vom entbehrungsreichen Leben des ausgehenden Mittelalters.

10

Abbildung Seite 10: *Selbstbildnis mit Landschaft, 1498.* Gemälde auf Holz, 52×41 cm. Madrid, Museo Nacional del Prado (rechts unter dem Fenster die Jahreszahl 1498, darunter das Monogramm des Künstlers und die Inschrift: Das malt Ich nach meiner Gestalt / ich war sex und zwanzig Jor alt / Albrecht Dürer).

Abbildung Seite 11: *Selbstbildnis im Pelzrock, 1500.* Gemälde auf Lindenholz, 67×49 cm. München, Alte Pinakothek. (Inschrift: So malte ich / Albrecht Dürer aus Nürnberg, mich selbst mit unvergänglichen Farben im Alter von 28 Jahren).

Brücke über ein ganzes Jahrhundert. Für Dürer, der das Ende der Geschichte nahen sah und dem der Schönheitstraum der Renaissance, den er in Venedig geträumt hatte, entschwand, muß der Stil dieser Holzschnitte dem geschichtlichen Augenblick so unmittelbar entsprochen haben und so natürlich gewesen sein wie der Klang seiner eigenen Stimme.

Ich bezweifle jedoch, daß irgendein besonderes Ereignis die Verschiedenheit dieser beiden Selbstporträts zu erklären vermag. Sie hätten auch im gleichen Monat des gleichen Jahres gemalt sein können; sie ergänzen einander. Zusammen bilden sie so etwas wie einen Torweg, der zu Dürers Spätwerk hinführt. Sie weisen auf das Dilemma, auf die Zone der Selbstbefragung, hin, innerhalb derer er sich als Künstler betätigte.

Dürers Vater war ein ungarischer Goldschmied, der sich im Gewerbeviertel Nürnbergs angesiedelt hatte. Wie sein Gewerbe es damals erforderte, war er ein guter Zeichner und Stecher. Aber in seinem Verhalten und seiner Gesinnung war er ein mittelalterlicher Handwerker. Alles, was ihn im Hinblick auf seine Arbeit beschäftigte, war das »Wie«. Andere Fragen stellten sich ihm nicht.

Mit 23 Jahren war sein Sohn zu dem Maler in Europa geworden, der am weitesten von der Denkweise eines mittelalterlichen Handwerkers entfernt war. Er war der Überzeugung, daß der Künstler die Geheimnisse des Universums entdecken müsse, um Schönheit zu schaffen.

Die erste Frage, die sich ihm im Hinblick auf die Kunst und auch auf das Reisen stellte (er reiste, wann immer er konnte), war: »Wohin?« Ohne seine Italienreisen hätte Dürer dieses Gefühl für Unabhängigkeit und diese Eigenständigkeit niemals erreichen können. Aber paradoxerweise wurde er dann unabhängiger als irgendein italienischer Künstler, und zwar gerade weil er ein Außenseiter ohne moderne Tradition war; die deutsche Tradition gehörte – ehe er sie veränderte – der Vergangenheit an. Er verkörperte als erster, ganz allein, die Avantgarde.

Diese Unabhängigkeit drückt sich in dem Madrider Porträt aus. Daß er sich diese neue Unabhängigkeit nicht ganz zu eigen macht, daß sie eine Art Kostüm ist, das er anprobiert, erklärt sich vielleicht daraus, daß er trotz allem der Sohn seines Vaters war. Der Tod seines Vaters 1502 beeindruckte ihn tief; er hing sehr an ihm. Sah er seine Verschiedenheit von seinem Vater als etwas Unvermeidliches, ihm Auferlegtes an oder als seine freie Entscheidung, von der er nicht sicher sein konnte, ob sie richtig war? Wahrscheinlich – zu verschiedenen Zeiten – als beides. Das Madrider Porträt enthält eine leichte Spur des Zweifels.

Seine Unabhängigkeit muß Dürer, zusammen mit dem Stil seiner Kunst, ein ungewöhnliches Machtgefühl vermittelt haben. Seine Kunst kam einer Neuerschaffung der Natur näher als die irgendeines Künstlers vor ihm. Seine Fähigkeit, einen Gegenstand abzubilden, muß auf die Zeitgenossen wie ein Wunder gewirkt haben und tut es bisweilen heute noch, denkt man an die aquarellierten Zeichnungen von Pflanzen und Tieren. Seine Porträts nannte er »Konterfei« – ein Wort, das den Prozeß der exakten Nachahmung betont.

War seine Art der Darstellung, der Neuerschaffung dessen, was er vor sich oder in seinen Träumen sah, in irgendeiner Weise analog dem Vorgang, durch den – wie es heißt – Gott die Welt und alles, was in ihr war, erschuf? Vielleicht stellte er sich diese Frage. Wenn dem so war, war es nicht das Gefühl seiner eigenen Überlegenheit, das ihn veranlaßte, sich mit Gottvater zu vergleichen, sondern sein Bewußtsein für das, was offenbar seine eigene Kreativität war. Trotz dieser Kreativität war er dazu verdammt, in einer Welt voller Leiden zu leben, einer Welt, gegen die seine eigene Schöpferkraft letztlich nichts auszurichten vermochte. Sein Selbstporträt als Christus ist das Bild eines Schöpfers, der sich auf der falschen Seite der Schöpfung befindet, eines Schöpfers, der keinen Anteil hat an seiner eigenen Erschaffung.

Dürers künstlerische Unabhängigkeit war manchmal unvereinbar mit seinem noch halb mittelalterlichen religiösen Glauben. Die beiden Selbstporträts drücken diese Unvereinbarkeit aus. Aber das ist eine sehr abstrakte Behauptung. Wir sind immer noch nicht bis zu Dürers eigener Erfahrung vorgedrungen. Einmal fuhr er sechs Tage lang in einem kleinen Boot, um wie ein Wissenschaftler den Kadaver eines Wals zu studieren. Gleichzeitig glaubte er an die Apokalyptischen Reiter. Luther betrachtete er als »Instrument Gottes«. Wie hieß konkret die Frage, die er sich selbst stellte, wenn er in den Spiegel sah, und wie beantwortete er sie wirklich, diese Frage, die uns bei der Betrachtung seines gemalten Gesichts anspringt und die, auf die einfachste Formel gebracht, lautet: »Wessen Instrument bin ich?«

John Berger

Selbstbildnis, die linke Hand des Künstlers, ein Kissen, um 1493. Federzeichnung auf Papier, 27,6×20,2 cm. Privatbesitz.

Albrecht Dürer ganz intim: Separat voneinander hat der junge Künstler auf diesem Studienblatt sein Porträt, ein Kissen und seine Hand gezeichnet – deren Innenfläche das Abbild einer weiblichen Scham zeigt.

Abbildung gegenüber: *»Mein Agnes«, um 1494.* Federzeichnung in Bister auf weißem Papier, 15,6×9,8 cm. Wien, Graphische Sammlung Albertina.

Nach Abschluß seiner Lehr- und Wanderjahre heiratet Dürer 1494 die vom Vater ausgewählte Braut Agnes. Und porträtiert die Tochter des wohlhabenden Kaufmanns und »Mechanicus« Frey in einer knappen Zeichnung.

Die Weidenmühlen an der Pegnitz, 1498. Aquarell und Deckfarben auf Papier, 25,1×36,7 cm. Paris, Bibliothèque Nationale, Cabinet des Estampes.

Mehrfach hat Dürer die Mühlenbetriebe vor dem Hallertor gezeichnet. Das Blatt von 1498 – der Meister feiert den ersten großen Erfolg mit den Holzschnitten der »Apokalypse« – gilt als sein bedeutendstes Aquarell.

Der Westen Nürnberg's, undatiert. Wasser- und Deckfarbenmalerei auf Papier, 16,3×34,4 cm. Seit 1945 verschollen. Ehemals Bremen, Kunsthalle Bremen. (oben in der Mitte: nörnperg. Daneben von fremder Hand das Monogramm).

Eine Fülle von Studienblättern widmet Dürer seiner Heimatstadt Nürnberg. Aber fast immer zeichnet er nur die Peripherie der damaligen Metropole. Wie hier in zarten Grün-, Braun- und Blautönen die Vorstadt am Spittlertorgraben.

Abbildung unten: *Kirche und Fried-
hof von St. Johann bei Nürnberg,
1494. Aquarell- und Deckfarbenmalerei auf Papier, 29×42,3 cm. Seit 1945
verschollen. Ehemals Bremen, Kunsthalle Bremen.*

Die Siechenhäuser und die Friedhofs-
kapelle von St. Johann, vor den Toren
der mittelalterlichen Stadt gelegen,
zeichnete Albrecht Dürer 1494. Nach
seinem Tod im Jahre 1528 wurde der
Meister dort bestattet.

Die Drahtziehermühle, undatiert.
Wasser- und Deckfarbenmalerei auf
Papier, 28,6×42,2 cm. Berlin, Staatli-
che Museen zu Berlin – Preußischer
Kulturbesitz, Kupferstichkabinett.
(Inschrift oben: trotzich müll).

Die Drahtziehermühle vor den Toren
Nürnbergs bildete mit der Weiden-
mühle jenseits der Pegnitz die erste
Industrieansiedlung der mittelalterlichen Stadt. Die naturalistische Far-
bigkeit des Blattes erreichte Dürer
durch eine ausgefeilte Anwendung
der Laviertechnik, das Hineinarbeiten
mit weichem Pinsel in die noch feuch-
ten Farbflächen. Über den Zeitpunkt
der Entstehung streiten die Gelehrten:
1489/90 sagen die einen, andere meinen 1494, im Jahr seiner Heimkehr
von der Wanderschaft und der Heirat
mit Agnes Frey.

17

Abbildung gegenüber: *Eine Nürnberger Frau im Tanzkleid, 1500*. Federzeichnung auf Papier, mit Wasserfarben getönt, 32,5×21,8 cm. Wien, Graphische Sammlung Albertina.

Eine Nürnbergerin im Kleid für den Kirchgang, 1500. Pinselzeichnung, mit Wasserfarben leicht getönt, 31,7×17,2 cm. London, The British Museum (oben Dürers Aufschrift: Gedeuckt mein In ewerm Reych 1500 / Also gett man zu Normerck In die Kirchn).

Das Modell war des Künstlers Gattin Agnes.

Eine Nürnbergerin im Hauskleid, undatiert. Federzeichnung auf Papier, mit Wasserfarben getönt, 28,4×13 cm. Mailand, Biblioteca Ambrosiana.

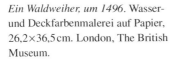

Ein Waldweiher, um 1496. Wasser-
und Deckfarbenmalerei auf Papier,
26,2×36,5 cm. London, The British
Museum.

*Naturstudie einer Fichte
(Detail), undatiert.*
Aquarell- und Deck-
farben, Papier,
29,5×19,6 cm. London,
The British Museum.

20

*Landschaft bei Segonzano im Cem-
bratal, um 1494.* Wasserfarbenmale-
rei auf Papier, 21×31,2 cm. Oxford,
Ashmolean Museum (Inschrift rechts
oben: welsch pirg).

Kurz nach seiner Heirat 1494 flieht
Dürer ein erstes Mal vor der Pest
nach Italien. Auf dem Rückweg läßt
er sich Zeit und tuscht die Berge rings
um das nördlich von Trient gelegene
Val di Cembra in verhaltenen Grün-
und Blautönen.

*Innsbruck von Norden über den Inn
gesehen, undatiert.* Wasserfarbenma-
lerei auf Papier, 12,7×18,7 cm. Wien,
Graphische Sammlung Albertina.

Nachdem Dürer auf seiner Rückreise
im Frühjahr 1495 den Brennerpaß hin-
ter sich gelassen hat, verschnauft er in
Innsbruck. Er zeichnet die maleri-
schen Türme und Zinnen der Stadt
von der Flußseite her. Offenbar inter-
essieren den Maler – ungewöhnlich
für diese Zeit – die Spiegelungen der
Stadtsilhouette in den Fluten des Inn.
Ein Sujet allerdings, daß dem Meister
nur mäßig geglückt ist. Insgesamt
wirkt das Aquarell eher unbeholfen:
Mehrfach ist dem Maler die Perspek-
tive verrutscht, mehrfach wechselt er
Farbgebung und Zeichenstil.

Abbildung Seite 24: *Der Hof vom
Innsbrucker Schloß (ohne Wolken),
undatiert.* Zeichnung in Wasserfarben
auf Papier, 36,8×27 cm. Wien, Graphische Sammlung Albertina.

Abbildung Seite 25: *Der Hof vom
Innsbrucker Schloß (mit Wolken), undatiert.* Zeichnung in Wasserfarben
auf Papier, 33,5×26,7 cm. Wien, Graphische Sammlung Albertina.

Venezianerin, Profil und Rücken, um 1495. Federzeichnung auf Papier, 29×17,3 cm. Wien, Graphische Sammlung Albertina.

In Venedig, dem »Manhattan der Alten Welt«, einem turbulenten Markt des Luxus' und der Moden, studiert Dürer nicht nur die Arbeiten der italienischen Kollegen, sondern auch Pracht und Putz der »besseren Gesellschaft«. Dabei notiert er jede Falte der kostbaren Gewänder.

Eine Nürnberger Jungfrau im Tanzkleid, 1500–1501. Federzeichnung auf Papier mit Wasserfarben, 32,4×21,1 cm. Basel, Öffentliche Kunstsammlung, Kupferstichkabinett.

Drei livländische Frauen, 1521.
Feder und Aquarell, 18,7×19,7 cm.
Paris, Musée National du Louvre,
Sammlung E. v. Rothschild.

Adam und Eva, 1504. Kupferstich,
25,2×19,5 cm.

Adam und Eva, 1504. Federzeichnung auf Papier, braun laviert,
24,2×20,1 cm. New York, J. Pierpont
Morgan Library.

Nach 1500 bemüht sich der Maler intensiv um die Idealproportionen des
menschlichen Körpers. Für den Kupferstich des biblischen Urpaares fertigt er eine Zeichnung an, bei der es
ihm einzig auf die Körperhaltung
ankommt.

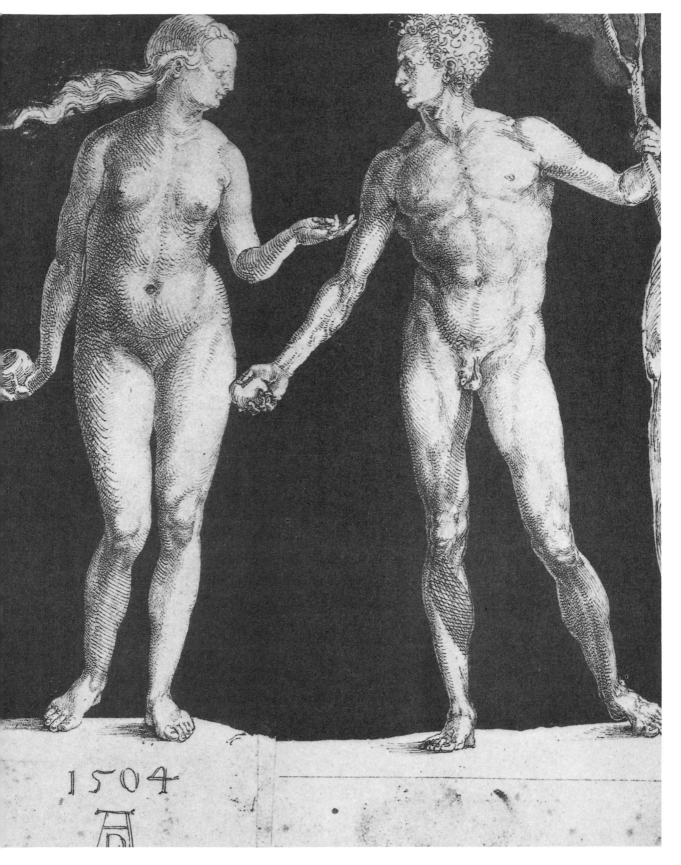

1504

Junges Pärchen, gehend, undatiert.
Federzeichnung in Braun auf Papier,
25,8×19,1 cm. Hamburg, Hamburger
Kunsthalle (unregelmäßig beschnit-
ten).

Die Federzeichnung entsteht während
der Wanderjahre Dürers vermutlich in
Basel. Das Motiv der lustwandelnden
Liebhaber ist im 15. Jahrhundert sehr
populär. Dürers Arbeit geht in ihrem
Realismus über die höfisch-idealisier-
ten Darstellungen anderer Künstler –
etwa beim »Hausbuchmeister« –
hinaus. So sind die Gesichter indivi-
dueller ausgeprägt als sonst üblich.
Der junge Mann gleicht sogar dem
Künstler selbst.

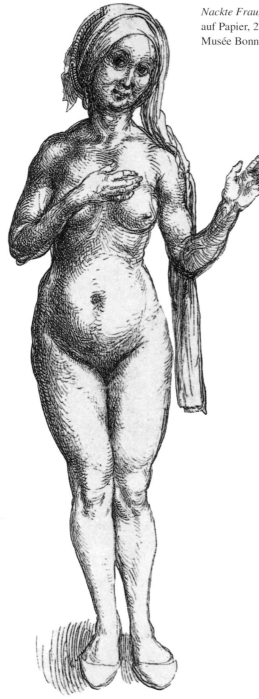

Nackte Frau, 1493. Federzeichnung
auf Papier, 27,2×14,7 cm. Bayonne,
Musée Bonnat.

Nackte Frau, undatiert. Federzeichnung, 29×18,8 cm. Zeichnung aus
dem »Dresdner Skizzenbuch«, Dresden, Sächsische Landesbibliothek.

Abbildung Seite gegenüber: *Das
Frauenbad, 1496.* Federzeichnung
auf Papier, 23,1×22,6 cm. Seit 1945
verschollen. Ehemals Bremen,
Kunsthalle.

Dürer zeichnet hier sechs Frauenkörper in allen Stadien des Alters.

Weiblicher Akt von hinten, 1495.
Pinselzeichnung auf Papier,
32×21cm. Paris, Musée National du
Louvre, Cabinet des Dessins.

Dürer beginnt seine Aktstudien sehr
früh, wie die Pinsel- und Federzeichnung der Nackten von 1495 zeigt. Es
sind die ersten Abbildungen entblöß-
ter Frauenkörper nördlich der Alpen,
die nach einem lebenden Modell
entstehen.

Abbildung gegenüber: *Apollo, unda-*
tiert. Feder in Graubraun, auf unregelmäßig beschnittenem Papier,
31,5×22,3cm. Zürich, Kunsthaus
Zürich, Graphische Sammlung.

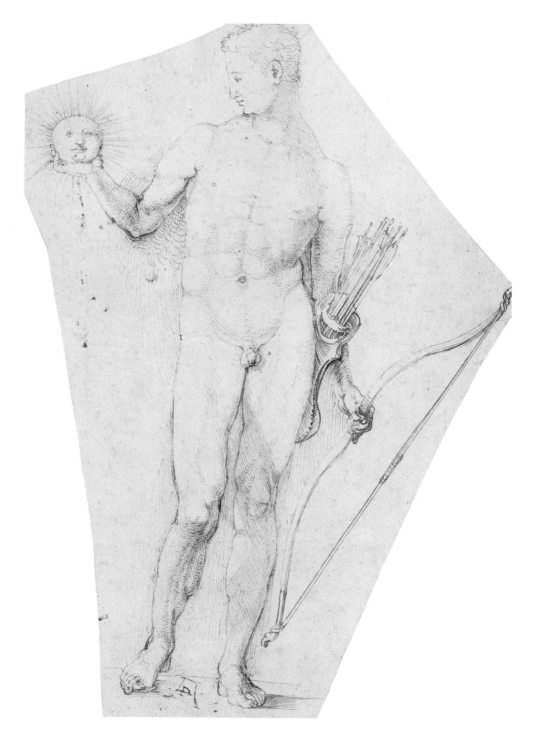

Abbildung gegenüber: *Sechs nackte Figuren, 1515*. Federzeichnung, 27,1×21,2 cm. Frankfurt, Städelsches Kunstinstitut.

Marterszenen wie die des an einen Baumstamm gefesselten Nackten waren der spätmittelalterlichen Bildwelt geläufig. Das damals vorherrschende römisch-katholische Weltbild ist voller Märtyrer, Christus selbst wird vor seiner Hinrichtung an einen Pfahl gebunden und gegeißelt. Sicher ist das Blatt Vorstudie zu einem dieser Folterbilder, wie etwa Dürers 1508 entstandenem Gemälde »Marter der zehntausend Christen«.

Nackter Mann mit Keule, undatiert (Detail). Federzeichnung, 11,5×17,5 cm. Lemberg, Lubomirski Museum (Monogramm von fremder Hand).

38

Abbildung gegenüber: *Studie zum Gewand Christi, 1508*. Pinselzeichnung auf grün grundiertem Papier, weiß gehöht, 25,6×19,6 cm. Paris, Musée National du Louvre (Monogramm und Datierung von Dürer).

Eine weitere Vorstudie zum zerstörten Heller-Altar zeigt das Gewand des gemarterten Jesus.

Die Füße eines Apostels, 1508. Pinselzeichnung auf grünlichem Papier, weiß gehöht, 17,7×21,7 cm. Rotterdam, Museum Boymans-van Beuningen.

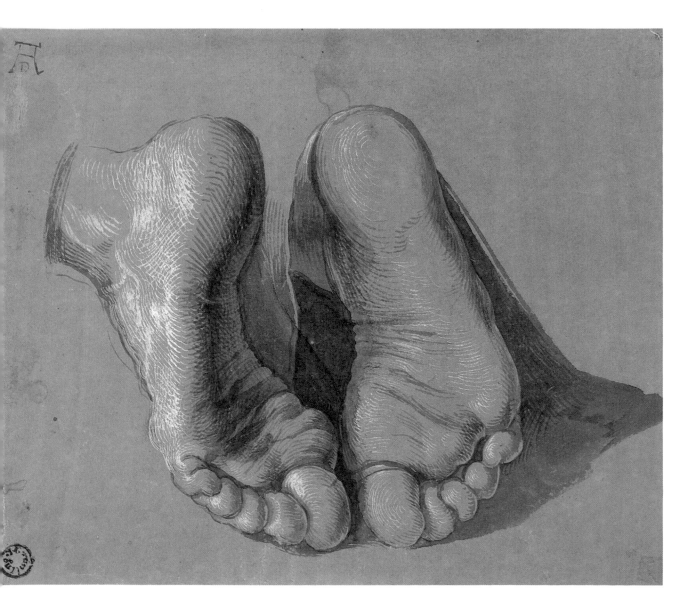

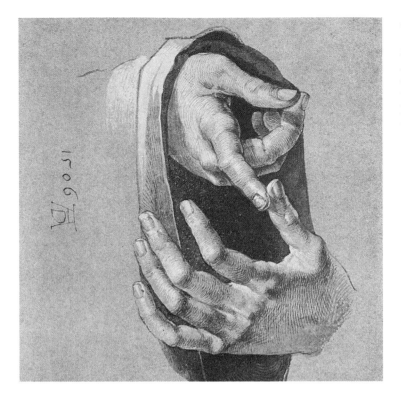

Die Hände des zwölfjährigen Jesus,
1506. Vorarbeit für das Gemälde: Der
zwölfjährige Jesus unter den Schriftgelehrten. Pinselzeichnung auf blauem venezianischem Papier, laviert
und weiß gehöht, 20,7×18,5 cm.
Nürnberg, Germanisches Nationalmuseum.

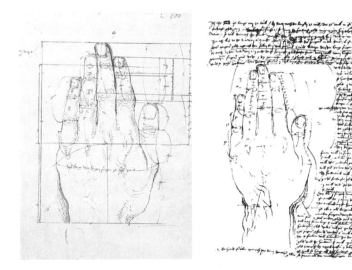

Studie der linken Hand in
»Proportionsstudien«.

Abbildung gegenüber: Studie dreier
Hände, 1494. Federzeichnung,
27×18 cm. Wien, Graphische Sammlung Albertina.

Das Zeichnen von Händen ist ein Thema, das Dürer häufig beschäftigt. Mal
sind es einfache Fingerübungen, bei
denen präzise Momentaufnahmen
von Gesten und Tätigkeiten entstehen. Mal sind es akribische Vorarbeiten zu großen Gemälden, wie dem
Bild »Jesus unter den Schriftgelehrten«. Sie lassen erkennen, wie wichtig dem Künstler gerade die Hände
sind, die er in seinen Proportionsstudien analysiert.

40

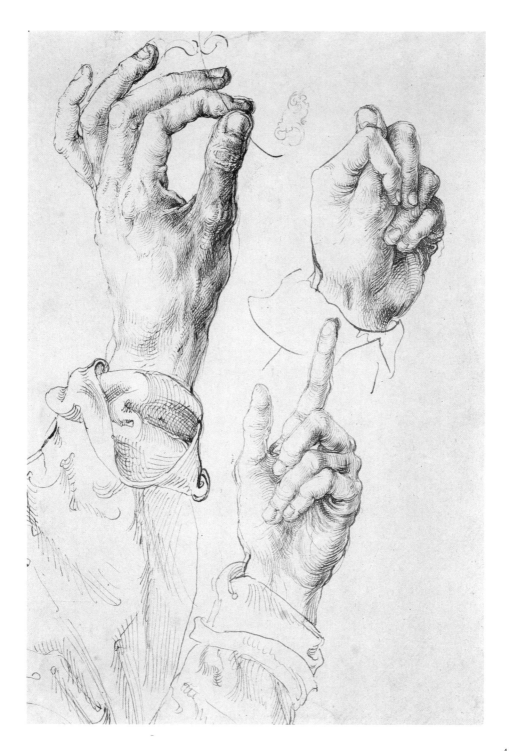

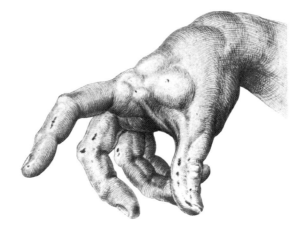

Betende Hände, 1508. Pinselzeichnung auf blauem Papier, 29×19,7 cm. Wien, Graphische Sammlung Albertina.

1508 beginnt Dürer mit den Arbeiten zum Heller-Altar. Er fertigt eine Reihe von Skizzen an, wie die Zeichnung der gefalteten Hände, die inzwischen zu den berühmtesten Arbeiten des Meisters gehört. Es sind die Hände, wie eine spätere Kopie zeigt, eines Apostels, der sich mit seinen Glaubensbrüdern vor einem leeren Grab versammelt hat. Dabei blickt er auf das Geschehen über ihm, die Krönung Marias.

Stehender Apostel, 1508. Vorarbeit für den Heller-Altar. Tuschpinselzeichnung auf grün grundiertem Papier, laviert und weiß gehöht, 40,7×24 cm. Berlin, Staatliche Museen zu Berlin – Preußischer Kulturbesitz, Kupferstichkabinett (Monogramm und Datierung von Dürer).

Zwei Jahre lang, 1508 und 1509, arbeitet Dürer an einem Altar, den der Frankfurter Kaufmann Jakob Heller in Auftrag gegeben hatte. Bei einem Brand in der Münchner Residenz 1729 verbrennt der Mittelteil, der die Marienkrönung zeigt. Heute existieren von dem Heller-Altar lediglich eine Kopie aus dem 17. Jahrhundert und 18 Pinselzeichnungen, Vorstudien, zu denen auch der Apostel mit dem Hirtenstab gehört.

Abbildung Seite 46: *Kopf eines Engels, 1506.* Vorarbeit für das Gemälde: Rosenkranzfest. Pinselzeichnung auf blauem venezianischem Papier, weiß gehöht, 27×20,8 cm. Wien, Graphische Sammlung Albertina.

Abbildung Seite 47: *Der Kopf des zwölfjährigen Jesus, undatiert.* Vorarbeit für das Gemälde: Der zwölfjährige Jesus unter den Schriftgelehrten. Pinselzeichnung auf blauem venezianischem Papier, weiß gehöht, 27,5×21,1 cm. Wien, Graphische Sammlung Albertina.

48

Abbildung Seite 48: *Bildnis eines nach rechts blickenden Mannes, um 1521.* Kohlezeichnung, 36,8×25,5 cm. Berlin, Staatliche Museen zu Berlin – Preußischer Kulturbesitz, Kupferstichkabinett.

Abbildung Seite 49: *Bildnis eines jungen Mannes, 1520.* Schwarzer Stift (Kohle), 36,6×25,8 cm. Berlin, Staatliche Museen zu Berlin – Preußischer Kulturbesitz, Kupferstichkabinett (Monogramm und Datierung von Dürer).

Mann mit Bohrer, um 1496–1497. Federzeichnung, 25,1×15,1 cm. Bayonne, Musée Bonnat.

Ritter, Tod und Teufel, 1513. Kupferstich, 24,4×18,9 cm.

Zu den Meisterstichen Dürers gehört das Blatt mit dem geharnischten christlichen Ritter, das 1513 entsteht. Zusammen mit dem »Heiligen Hieronymus« und der »Melancolia« bildet es den Höhepunkt im graphischen Werk Dürers.

Abbildung gegenüber: *Ein Reiter im Harnisch, 1498.* Federzeichnung auf Papier, mit Wasserfarben getönt, 41,2×32,4 cm. Wien, Graphische Sammlung Albertina.

Erasmus von Rotterdam, 1520. Kohle-
zeichnung auf Papier, 37,3×27,1 cm.
Paris Musée National du Louvre,
Cabinet des Dessins.

Mehrmals trifft Dürer den überragen-
den Gelehrten Erasmus von Rotterdam. Dieser wünscht sich ein Porträt,
ist von dem Ergebnis aber tief
enttäuscht.

Der Hafen von Antwerpen, 1520.
Feder, 21,3×28,3 cm. Wien, Graphische Sammlung Albertina.

Die Ansicht der florierenden Handelsstadt an der Scheldemündung aus dem Jahre 1520 gehört wegen ihrer klaren Gliederung und einfachen Strichführung zu den wichtigsten Landschaftsbildern des Meisters.

Abbildung gegenüber: *Bildnis einer windischen Bäuerin, 1505.* Federzeichnung auf Papier, Grund braun ausgetuscht, 41,6×28,1 cm. London, The British Museum (Monogramm und Datierung von Dürer).

Das Bildnis der lächelnden Frau versieht Dürer mit der Inschrift »vna vilana windisch«. Vermutlich ist der Maler auf seiner Venedig-Reise 1505 durch die Windische Mark, ein Gebiet innerhalb der Steiermark und Kärntens, gekommen.

Die Mohrin Katharina, 1521. Silberstiftzeichnung auf Papier, 20×14 cm. Florenz, Galleria degli Uffizi, Gabinetto Disegni e Stampe.

Während seines Aufenthalts in Antwerpen trifft Dürer im Hause des portugiesischen Kaufmanns Joao Brandao eine schwarze Dienerin und malt die »Mohrin«, wie er in seinem Tagebuch vermerkt. Er beschriftet das Blatt »Katharina allt 20 Jar«.

Brustbild eines Negers, 1508. Kohlezeichnung auf Papier, 32×21,8 cm. Wien, Graphische Sammlung Albertina.

Die Bildniszeichnung des Schwarzen entstand sehr wahrscheinlich im Zusammenhang und als Vorstudie zu einer der großen Altar-Arbeiten, die von Albrecht Dürer und seinen Gesellen um 1508 ausgeführt wurden.

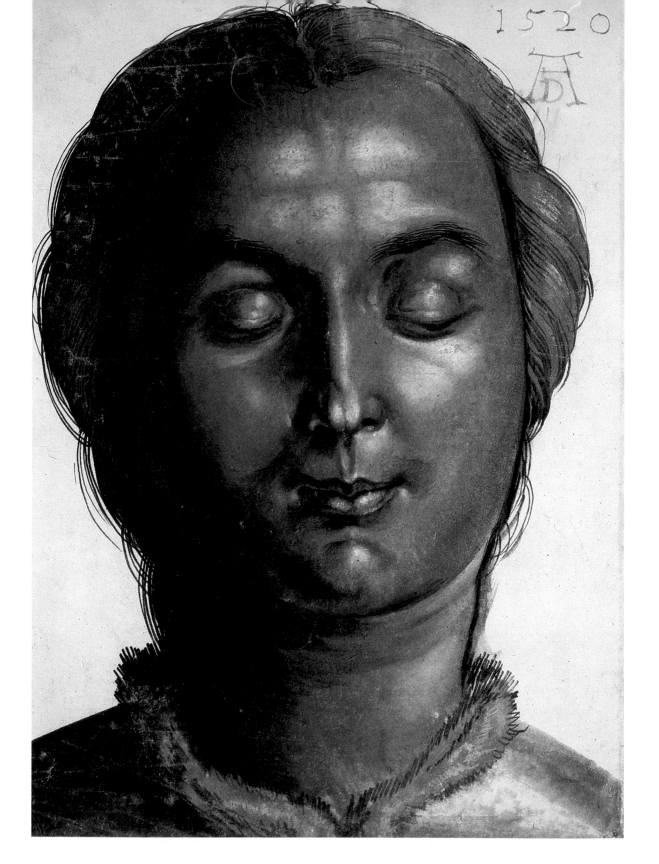

Abbildung Seite 56: *Kopf einer jungen Frau, undatiert*. Pinselzeichnung auf blauem venezianischem Papier, weiß gehöht, 28,5×19 cm. Wien, Graphische Sammlung Albertina.

Abbildung Seite 57: *Kopf einer jungen Frau mit geschlossenen Augen, um 1520*. Pinselzeichnung, weiß gehöht, 32,4×22,8 cm. London, The British Museum.

Abbildung gegenüber: *Drei Orientalen, 1514*. Feder und schwarze und braune Tusche, 30,5×19,9 cm. London, The British Museum.

Sultan Soliman, 1526. Silberstiftzeichnung, 18,4×13,3 cm. Bayonne, Musée Bonnat (Monogramm von Dürer).

Sultan Süleiman, der von 1520 bis 1566 lebte, war einer der bedeutendsten Herrscher des Osmanischen Reiches. Seine umfangreichen Eroberungen führten ihn 1526, dem Jahr der Zeichnung, bis nach Ungarn.

Ein orientalischer Herrscher auf seinem Thron sitzend, um 1495. Feder und Tusche auf Papier, 30,6×19,7 cm. Washington, National Gallery of Art, Alisa Mellon Bruce Fund.

Die Machthaber des Orients spielten in der Vorstellungswelt der spätmittelalterlichen Menschen eine angsteinflößende Rolle. Als ihre Truppen 1529 Wien belagerten, schien das christliche Abendland bedroht.

1514

Der Reichsapfel, undatiert. Federzeichnung, mit gelber Wasserfarbe
ausgetuscht, 27,3×21 cm. Nürnberg,
Germanisches Nationalmuseum.

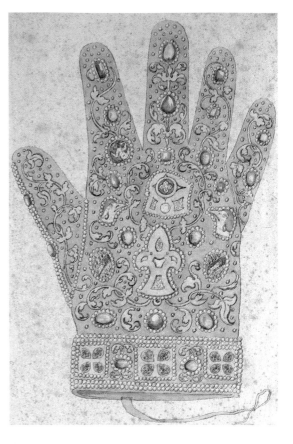

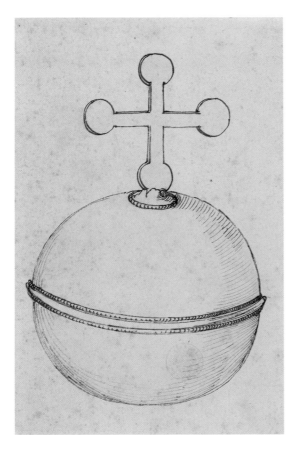

Der Herrscher-Handschuh, undatiert.
Feder und Aquarell, 30,5×19,8 cm.
Budapest, Szépmürészeti Múzeum,
Praun und Esterházy Sammlung.

Für ein Bildnis Kaiser Karls des
Großen studierte Dürer die Reichs-
kleinodien, die in Nürnberg aufbe-
wahrt und jeweils zu Ostern ausge-
stellt wurden. Zu ihnen gehört, neben
Reichsapfel und Zepter, ein reichge-
schmückter Handschuh.

Die Reichskrone, undatiert. Federzeichnung, mit Wasserfarben leicht
ausgetuscht, 23,7×28,1 cm. Nürnberg, Germanisches Nationalmuseum.

Auch die Reichskrone gehört zu den
Insignien, die in Nürnberg lagerten.
Obwohl erst zur Krönung Ottos des
Großen im Jahr 962 angefertigt,
schmückt sie in Dürers Ideal-Bildnis
bereits das Haupt Karls des Großen.

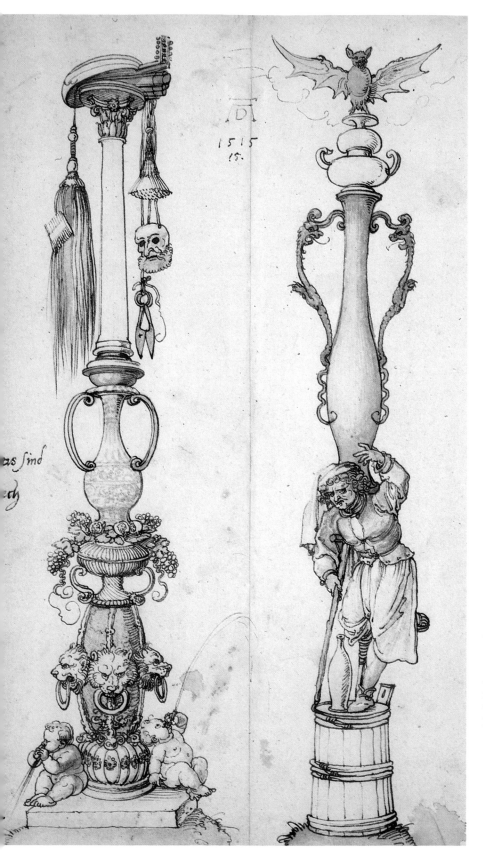

1515
15.

as sind

*Zwei (phantastisch geform-
te) Säulen, 1515*. Feder-
zeichnung, mit Wasserfar-
ben rot, blau und braun ausgetuscht, 20,3 × 14,3 cm
London, The British Mu-
seum (Monogramm des
Künstlers und Datierung
von fremder Hand).

Abbildung gegenüber: *Ent-
wurf für einen Tischbrun-
nen, 1509*. Federzeichnung,
farbig ausgetuscht,
30,5 × 19,4 cm. Oxford,
Ashmolean Museum (Mo-
nogramm des Künstlers
und Datierung von fremder
Hand).

64

Der Knabe Savior, 1493. Tempera auf
Velin, 11,8×9,3 cm. Wien, Graphische Sammlung Albertina.

Der Christusknabe thronend, 1506.
Vorarbeit für das Bild: Die Madonna
mit dem Zeisig. Pinselzeichnung auf
blauem venezianischem Papier, weiß
gehöht, 39,6×27,2 cm. Seit 1945 verschollen. Ehemals Bremen, Kunsthalle Bremen (Monogramm und
Datierung von Dürer). Abweichungen
gegenüber dem Gemälde machen den
Eigenwert deutlich, den Dürer den
Vorarbeiten beigemessen hat.

*Brustbild eines weinenden Engelkna-
ben, 1521.* Vorarbeit für das Gemälde: Die Kreuzigung. Kreidezeichnung
auf blau grundiertem Papier, weiß
gehöht, 21,1×16,7 cm. Nürnberg,
Germanisches Nationalmuseum.

*Kinderkopf, nach rechts schauend, un-
datiert.* Pinselzeichnung auf blauem
venezianischem Papier, weiß gehöht,
16×10,9 cm. Paris, Musée National
du Louvre.

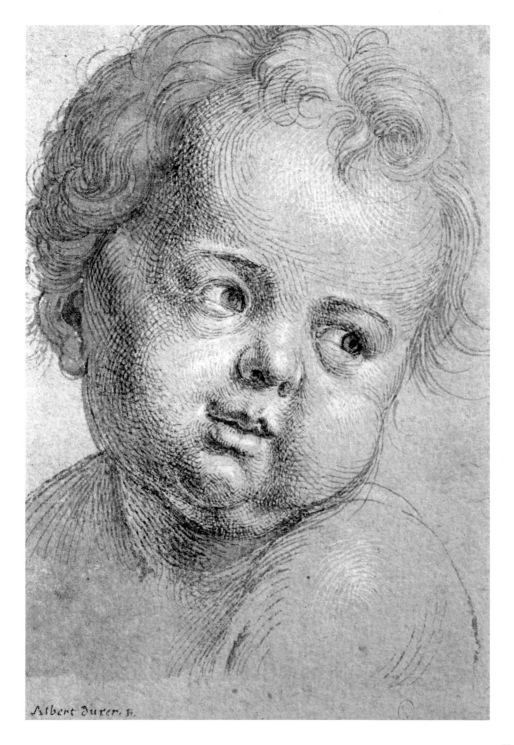

Albert Dürer. h.

Unten links: *Maria, das Kind nährend auf der Rasenbank, undatiert.* Federzeichnung 11,7×7,8 cm. Wien, Graphische Sammlung Albertina (Monogramm des Künstlers von fremder Hand).

Unten rechts: *Maria in Nürnberger Tracht, 1502.* Federzeichnung, 19,9×12,8 cm. Oxford, Ashmolean Museum.

Köpfchen Mariä. Federzeichnung, 4,2×4,2 cm. Hamburg, Hamburger Kunsthalle.

Abbildung gegenüber: *Halbfigur Mariens, das Kind stillend, 1512.* Kohlezeichnung, 41,8×28,8 cm. Graphische Sammlung Albertina.

Maria als Milchspenderin, die sogenannte Galaktatrophusa, ist ein alter Typus der christlichen Kunst. Dürer verweltlicht den Typus, indem er eine Frau seiner Zeit zum Vorbild nimmt und auf den Heiligenschein verzichtet.

Abbildung gegenüber: *Adam und Eva, Rückenansicht, 1510.* Federzeichnung, 29,5×22 cm. Wien, Graphische Sammlung Albertina (Monogramm sowie Datierung von Dürer).

Das Spiel der Verführung, in Gestalt des ersten Menschenpaares ein Gegenstand der christlichen Lehre, nimmt Dürer 1510 zum Anlaß für eine ungewöhnlich intime Szene, reduziert auf erotisches Verlangen.

*Venus und Cupid, der Honigdieb,
1514*. Feder auf Pinselvorzeichnung,
mit Wasserfarben leicht ausgetuscht,
21,6×31,3 cm. Wien, Kunsthistorisches Museum (Monogramm und
Datierung von Dürer).

Nackter Mann in einem Kreis und in einem Quadrat eingezeichnet, 1507.

Porträt eines Jungen mit langem Bart, 1527. Aquarell auf Leinwand, 55,2×27,8 cm. Paris, Musée National du Louvre, Cabinet des Dessins (Monogramm und Datierung von Dürer).

*Die siamesischen Zwillinge von Ert-
lingen, 1512.* Feder und schwarze Tusche, 15,8×20,8cm. Oxford, Ashmolean Museum (oben von Dürer
bezeichnet und datiert).

Wie sein Kollege Leonardo da Vinci
widmet sich Dürer immer wieder
dem Studium biologischer Abnormitä-
ten, wie hier der Gestalt eines mißge-
bildeten Mädchens, Ausdruck eines
neuen Interesses an der Natur.

Das große Rasenstück, 1503. Aquarell und Deckfarben, 41×31,5 cm. Wien, Graphische Sammlung Albertina.

Die Abbildung von verblühtem Löwenzahn, Gräsern, Bibernelle- und Wegerichblättern und Gräsern in natürlicher Größe ist 1503 ein Novum in der Kunst. Niemand hat zuvor gewagt, etwas so Unbedeutendes wie ein Stück Wiese zu malen. Dürer begründet später seinen avantgardistischen Realitätssinn, als er in der »Proportionslehre« schreibt: »Das Leben in der Natur gibt zu erkennen die Wahrheit der Ding.«

Schwertlilie (Iris troiana), 1508.
Feder, Aquarell- und Deckfarbenmalerei auf Papier mit Wasserzei-
chen, 77,5×31,3 cm. Bremen, Kunsthalle Bremen. (Monogramm und
Datierung von fremder Hand).

Pflanzen, insbesondere blühende Blu-
men, haben zu Dürers Zeiten hohe Bedeutung auch als Symbole der christlichen Heilslehre gehabt. Ihre Darstellung auf Heiligenbildern und Altarta-
feln ist zumeist auf Maria und Christus bezogen und gibt dem dargestell-
ten Geschehen eine zugleich mysti-
sche Bedeutung. Im Kanon der Pflan-
zensymbolik wurde die Schwertlilie
als Sinnbild für die Vergebung der
Sünden gebraucht.

H m̃ 1513 ior adij i may. Got man Portcam küng von portugall vrij lisabona pracht ein Solch lebendig tir aus Jndia das nent...
...zor und say sich Stark Jbeschier fast fest und ist Jn de gros als ein helffant aber Jidterer und ist des helffantz tott feint E hot forn an...
...Cauten der stirne/ staroff gespist und leust den helffant mit dem kopff zwischen die pantum hwin dan zoist es den helffant nest wo es hin...
...mag wo der helffant onkumt dan er ist woll gewapnet vnd see feurig und behent Die ire nenen Rhinoceros Jn gretz et...

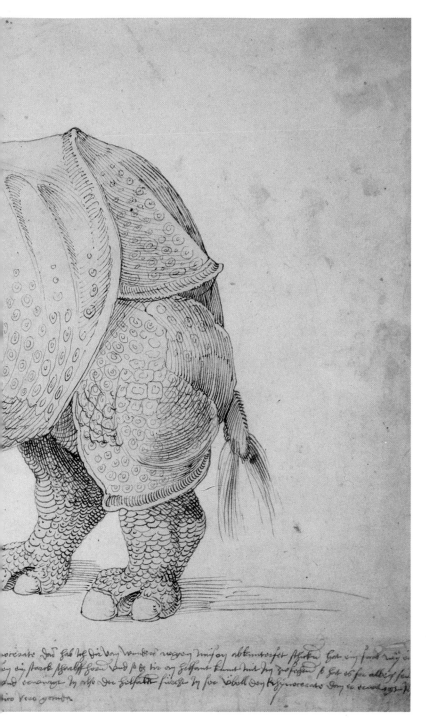

Rhinozeros, 1515. Federzeichnung, 27,4×42 cm. London, The British Museum.

1515 läßt der portugiesische König Manuel I. einen Elefanten und ein Nashorn nach Lissabon einschiffen, ein Geschenk für Papst Leo X. Auf der Überfahrt nach Rom versinkt das Schiff mit dem Rhinozeros. Dürer kann den Dickhäuter nicht selbst gesehen haben, seinen Holzschnitt fertigte er nach Berichten, womöglich auch nach Skizzen von Dritten. Daraus resultieren die anatomischen Anomalien des Tieres.

Der Kopf eines Rehbocks, 1514. Pinselzeichnung in Wasserfarben, 22,8×16,6cm. Bayonne, Musée Bonnat (Datierung und Monogramm des Künstlers wahrscheinlich von Hans Kulmbach).

Dürers Tierbilder entstehen in drei Arbeitsgängen. Zunächst werden, wie hier beim Rehbock, die Konturen gepinselt, dann erfolgt die großflächige Farbgebung. Den Abschluß bilden Feinarbeiten am Fell.

Elch, um 1519. Pinselzeichnung, 21,3×26cm. London, The British Museum.

1514

83

Hirschkopf mit monströsem Geweih.
Federzeichnung in Braun,
24×30,9 cm. Berlin, Staatliche Museen zu Berlin – Preußischer Kulturbesitz, Kupferstichkabinett.

Lüsterweibchen, 1513. Feder und
Aquarell, 15,3×19,5 cm. Wien,
Kunsthistorisches Museum.

Die Mischung von Holzfiguren und
Geweihen als Kerzenhalter ist eine
Mode der Spätgotik. Dürer fertigt
einige dieser bizarren Skulpturen,
darunter die entblößte Dame mit
Elchschaufeln, für seinen Freund
Pirckheimer.

Junger Feldhase, 1502. Aquarell und Deckfarbenmalerei auf Papier, mit Weiß gehöht, 25,1×22,6 cm. Wien, Graphische Sammlung Albertina.

Dürers naturwissenschaftliches Interesse zeigt sich besonders in seinen Tier- und Blumenbildern. Seine Präzision und seine Arbeitstechnik lassen den Eindruck absoluter Naturtreue entstehen. Auf eine Untermalung setzt er mit spitzem Pinsel das Haarkleid. Der Eindruck, Dürer habe jedes Haar einzeln gemalt, ist eine optische Täuschung, die dem Tierbildnis zu außerordentlicher Popularität verholfen hat.

Der Flügel einer Blauracke (Corracias gerula), 1512. Wasser- und Deckfarbenmalerei auf Pergament, 19,7×20 cm. Wien, Graphische Sammlung Albertina.

Der 41jährige Dürer ist auf dem Höhepunkt seiner Karriere angelangt, als er 1512 den Vogelflügel auf Pergament festhält. Mit dem Blick des Biologen notiert er anatomisch exakt Hand- und Armschwingen und die Farben des Gefieders. Womöglich als Vorlage für die Flügel der Engelsgestalten auf Andachtsbildern.

Maul eines Ochsen (Vorderansicht),
1523. Wasserfarben in Braun, Grau-
schwarz und Zartrosa, 19,7×15,8 cm.
London, The British Museum (Monogramm und Datierung von fremder
Hand).

»Je genauer Dein Werk dem Leben
gemäß ist in seiner Gestalt«, lautete
ein wesentlicher Lehrsatz des Malers,
»je besser Dein Werk erscheint.« Daraus erklärt sich Dürers Liebe auch
zum unscheinbaren Detail, die sich
nicht nur bei seinen Pflanzenstudien
und Porträtskizzen bewährte, sondern, wie in diesem Fall, auch am
Riech- und Freßapparat eines Rindes.
Oder bei dem Versuch, ein Walroß zu
zeichnen.

Kopf eines Walrosses, 1521. Feder
und braune Tusche, 21,1×31,2 cm.
London, The British Museum (Monogramm und Datierung von Dürer).

Zwei Entwürfe zum Zeichner mit der Kanne. Federzeichnung, 18,7×20,4 cm. Dresden, Sächsische Landesbibliothek.

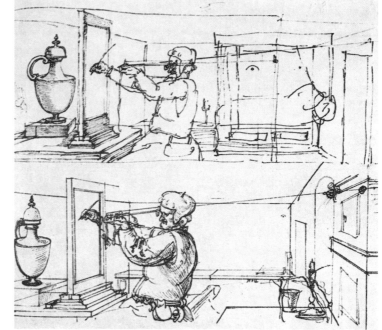

Dürer, Apparat zum Durchzeichnen, 1515. Federzeichnung, 12,2×17,4 cm. London, The British Museum.

Um die perspektivisch exakte Wiedergabe der gegenständlichen Welt herzustellen, benutzte Dürer als Malhilfe den Gitterrahmen, eine Erfindung aus Italien, die eine maßstabgerechte Abbildung ermöglichte.

Bildnis eines Baumeisters, undatiert. Vorarbeit zum Rosenkranzfest. Pinselzeichnung auf blauem venezianischem Papier, 38,6×26,3 cm. Berlin, Staatliche Museen zu Berlin – Preußischer Kulturbesitz, Kupferstichkabinett.

Die herben Züge dieses Mannsbildes mit Winkeleisen gehören dem Nürnberger Baumeister Hieronymus. Dürer fertigte das Blatt als Studie für das »Rosenkranzfest«, ein Gemälde, auf dem Maria und der Jesusknabe Rosengebinde an Papst Julius II., Kaiser Maximilian und die Zelebritäten Nürnbergs verteilen.

Albrecht Dürer 1471–1528
Leben und Werk

Dürers Haus am Tiergärtnertor in Nürnberg, das er 1509 kaufte.

1471 wird Albrecht Dürer am 21. Mai als drittes von 18 Kindern eines armen, aus Ungarn zugewanderten Goldschmieds in Nürnberg geboren und geht zunächst beim Vater in die Lehre.

1486 tritt er als Lehrling in die Werkstatt des Nürnberger Meisters Michael Wolgemut ein.

1490 schickt der Vater den Gesellen auf Wanderschaft nach Basel, Colmar und Straßburg.

1494 kehrt Dürer nach Nürnberg zurück, heiratet Agnes Frey, eine Tochter wohlhabender Bürger, und reist, auf der Flucht vor einer Pestepidemie, nach Italien, wo er die Renaissance-Meister, vor allem Andrea Mantegna, studiert.

1495 kommt Dürer zurück nach Nürnberg und begründet eine eigene Holzschneide-Werkstatt.

1498 bringt er die »Apokalypse« heraus, eine Holzschnittfolge, die ihn sofort berühmt macht. Er gewinnt den Nürnberger Humanisten und Kaiserlichen Rat Willibald Pirckheimer zu einem lebenslangen Freund.

1505 flieht er erneut vor der Pest nach Italien, besucht Bologna, Florenz und Rom, lebt aber zumeist in Venedig. Er knüpft Kontakte zu venezianischen Adligen und macht sich vertraut mit der Kunst Leonardos und Raffaels.

1507 kehrt Dürer heim; während der Rückreise entstehen berühmte Landschaftsaquarelle.

1509 erwirbt er ein stattliches Haus am Tiergärtnertor zu Nürnberg, heute das Museum »Dürer-Haus«, und wird in den Großen Rat der Stadt gewählt.

1512 tritt er als Buch-Illustrator in den Dienst Kaiser Maximilians, des »letzten Ritters«.